KB103232

내게 무해했던 시간들

조혜정 지음

내게, 무해했던 시간들
발 행 | 2024년 6월 14일
저 자 | 조혜정
펴낸이 | 한건희
펴낸곳 | 주식회사 부크크
출판사등록 | 2014.07.15.(제2014-16호)
주 소 | 서울특별시 금천구 가산디지털1로 119 SK트윈타워 A동 305호
전 화 | 1670-8316
이메일 | info@bookk.co.kr

ISBN | 979-11-410-8958-0

www.bookk.co.kr

내게 ,
　무해했던 시간들

내게,
무해했던 시간들

혼자 그리고 함께 보낸 의미있는 시간들
절대 무해할 수 밖에 없는 그 시간들 이야기

목 차

목 차

모든 일은 어떻게든 해석이 가능하다.
좋은 일, 나쁜 일이 처음부터 정해져 있는 것은 아니다.

요컨대 해석 또는 해석에 기인한 가치 판단이 자신을 옴짝달싹 못하도록
옭아매는 것이다. 그러나 해석하지 않고서는 상황을 정리할 수 없다.
여기에 인생을 해석한다는 것의 딜레마가 있다.

_ 니체 " 해석의 딜레마"

prologue

"절대 무해할 수 밖에 없는 그 시간들의 이야기"

36세, 결혼 12년차, 두 아이의 엄마,
얼마 전까지 내가 날 소개할 수 있는 몇 안 되는 표현이었다.
이제는 자전거도 타고, 빵도 만들고, 책도 쓰는 사람이 되었다.

아이들이 초등학생이 되고 나니, 지나온 시간들을 돌아볼 수 있는
여유도 생겼고, 지나간 시간들을 다시 떠올리는 재밌는 과정이었다.

두려운 게 없었던 고등학교 시절 그리고 언제나 내 편인 우리 엄마,
아빠. 무서운게 없었던 20대. 새로운 꿈을 찾아가고 있는 지금의 30대.
그렇게 나의 모든 시간을 정리해 보았다.

시간이라는 단어를 다시 생각하면 추억으로 읽혔고, 경험으로 보였다.
나는 그렇게 나의 추억과 경험들을 이야기 해보려고 한다.

그 시절 내가 느낀 유해함이, 지나고 보니 결코 그렇지 않았다는 걸
이야기 하고 싶었다.

나만의 시간

시급 1,700원

한때 우리 동네에서 제일 핫 했던 그곳

생과일주스 한 잔에 2,000원
15살, 내 시급은 1,700원.

그 주스 한 잔보다 못한 내 시급이었다.
태어나 처음 타인에게 받은 나의 노동의 대가는
주스만큼 달 지는 않았다.

그래도 그 시간의 내가 있기 때문에,
나는 좀 더 나은 어른이 되고 싶어졌다.

그 날 , 그 때 중2병

중학교 2학년
나는 아직 덜 자랐고,
미성숙했으며 용감하지 못했다.

다시 그때로 시간을 돌릴 수 있다면,
좀 더 용기를 낼 수 있을까.

무심히 지나친 너의 뒤가 아닌,
항상 고개 숙였던 네 앞에 서서,

별거 아니니 쫄지 말라고 말할 수 있을까
다정히 네 손을 잡고 일어설 수 있을까

길거리 악세사리 장수

낡은 기타 가방 하나 구해서,
밤새 꼼지락 꼼지락 만든 귀걸이, 팔찌 들고

우리 동네에서 노래 좀 한다는 곳 앞에서 판을 벌였다.

지금 막 사귀는 듯한 풋풋한 커플
교복 입고 나와 신나게 몰려다니는 학생들

한번씩들 기타 가방 앞에 모여서 만져보고,
나는 팔기 위해 낯부끄러운 칭찬도 했다.
그렇게 처음 맛보는 자본주의 세상.

갑자기 뜬 단속에 정신없이 가방을 닫고
뛰기도 했던, 어렸기 때문에 더 신났던 17살

17살의 나는, 그렇게 마냥 대책 있지는 않았다.

나의 첫 장례식장

결혼을 하고, 엄마가 되고 보니
가끔 생각나는 친구가 있다.

이젠 나는 어른이지만, 아직도 17살인 그 친구

우리가 만나기로 한 날엔 비가 많이 와서 약속이 취소되고,
친구가 떠나는 마지막 날에도 비가 많이 왔다.

그래서 그런지 비가 오는 날이면 가끔 생각난다.

이 정도 비도 아니었는데, 그때 우린 왜 안 만났을까 _ 하고
마지막 인사도 제대로 못한 게 계속 후회로 남아서

아직도 나는 그날 그때의 장례식장 냄새가 축축하게 기억이 난다.

차 향

내가 좋아하는 걸 찾는 건 꽤 설레는 일이다.
고등학교 3년 동안, 설레며 좋아했던 것 중 하나.
우연히 들어가게 된 동아리 "차 향"이다.

천천히 시간이 흘러가는 다도 동아리
따뜻하게 잔을 데우고
찻잎이 제 향들을 내며 맛이 우러나길 기다린다.

기다리면 좀 더 따뜻하게
좀 더 풍부한 맛을 느낄 수 있었던 그때의 시간

가끔 묵묵히 잘 기다리는 지금의 나는
아마도, 그때 조금씩 만들어진 기분이다.

"차 향" 그리고 3년
그 따뜻한 시간이 가끔 그립다.

길을 찾는 법

지금 내가 길을 잃지 않으면,

우린 언제 또 길을 잃고
다시 길을 찾을까

지금 난 길을 제대로 찾기 위해
제대로 길을 잃었다.

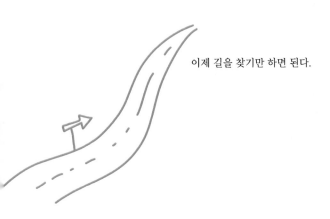

이제 길을 찾기만 하면 된다.

나를 만들었던 시간

맞물린 시간

You & Me

너와 같이 갔던 곳을
지금은 혼자 걸으며 네 생각을 했어.

네가 그립거나 아쉬워서가 아니라
그냥 그 곳에 가면 너를 만날 수 있을 것 같아서
그래서 그랬어.

아내가 되고, 엄마가 되어서
내가 어떤지 누구인지 까먹을때마다
네가 생각이 났어.

24살와 "나"와 37살의 "나"

24살의 나를 좀 더 아껴주고 예뻐해줄걸 그랬어.

상 처

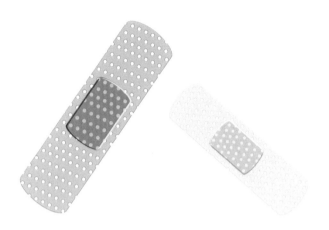

다친 상처를 일부러 치료하지 않을 때가 있다.

그 상처보다 더 큰 시련이 다가오면
한번씩 그 상처를 건드려보곤 한다.

손 끝으로 조금씩 상처를 건드리다 보면,
언제 무슨 시련이었는지 까먹기도 한다.

인생에서 만나는 시련쯤이야 이렇게
별거 아닌 일로 만들어 버리면 그만이다.

지렁이가 가는 길

비가 그친 뒤 ,
길을 잃어 보이는 지렁이.

그날은 그 지렁이가 나 같아서
그냥 지나칠 수 가 없었다.

뜨거운 햇빛에 말라 죽을까봐,
나뭇가지 하나를 집어 들었다.

그러다 멈춘 걸음. 두 개의 화단중에
지렁이가 원래 가야하는 곳은 어디였을까.

혹시나 내가 왔던 길을
다시 돌려 보내는 거면 어쩌지.

불행의 저울질

불행을 저울질해서 뭐하나
불행을 고민해서 뭐하나

지금 올려다 본 저 하늘,
저 별들이 다 내게로 쏟아지는데

나는 이미 저 별들을 다 온몸으로 받으며
누구보다 행복한 사람인데

나의 벗

밤새 나와 날아주던
나의 벗이여

너와 있으면
나의 아랫입술이 떨릴 정도로
운 적도 있었지

너와 있으면
머리가 띵할 정도로
웃다 넘어지곤 했었지

고맙다,
나의 소중한 벗이여

당신과 나의 시간

엄마가 보고 싶을 때

달달한 아메리카노를 마실 때,
진한 파마머리를 한 아주머니를 마주쳤을 때,

엄마를 닮아 가는 내가 보일 때,

그럴때마다 엄마가 더 생각난다.

사실 매일 엄마가 보고 싶다.

우리 아빠

나는 아빠가 더 좋다.
어렸을 때는 엄마만 좋아하는 친구들을 보며
나는 아빠가 더 좋다고 외치고 다녔고,

아빠를 더 챙긴다고 서운해하는 엄마를 보면서도
미안하지만, 난 아빠가 더더 좋아요라고 말한다.

이유는 없다. 그냥 모두가 엄마라고 말해서
그때부터 나는 그냥 아빠라고 말한 것 같다.

엄마의 발

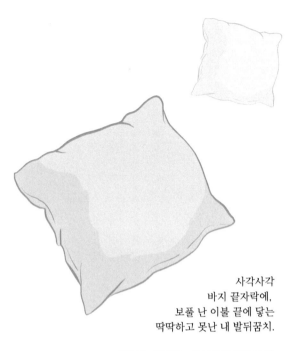

사각사각
바지 끝자락에,
보풀 난 이불 끝에 닿는
딱딱하고 못난 내 발뒤꿈치.

어릴 적 기억하는 애처롭던 엄마의 발
그 발과 내 발이 어느새 닮아가고 있다.

사각사각
그 소리가 듣기 싫어서,
힘들게 사는 듯한 엄마가 안쓰러워
귀를 막고 눈을 질끈 감으며 잠들었다.

사각사각
자장가가 돼버린
딱딱하고 고된 엄마의 발

아빠, 힘내세요.

우리가 있어요.

최고의 포토그래퍼, 요리왕, 서예 짱
운전도 최고, 개그맨
이게 다 우리 아빠.

나에게는 누구보다 멋지고, 재밌는 남자.

힘들면 제일 먼저 생각나는 사람이고,
누구보다 힘들지 않게 살았으면 하는 사람.

그리움

아이를 낳고 키우면서,
가끔 아이가 되고 싶은 날이 있다.

그럴 때면 엄마, 아빠가 더 보고 싶다.
괜히 더 외로워진다.

외로워서
너무 외로워서
가슴이 메어진다는 게 이런거구나

갈비뼈 사이사이, 내 가슴 사이가
너무 먹먹하게
내가 마구 쳐도 시원하지 않고

그냥 아프기만 하고
그냥 답답하기만 하다.

우리가 만난 시간

너에게 반했어

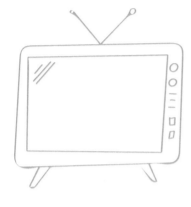

우연히 본 TV에서, 90세 넘은 할머님이 남편에게
반한 순간을 얘기하고 있었다.

할머니는 할아버지가 사과 씻는 모습에 반했다고 했다.

나는 남편의 치킨 먹는 모습에 반했고,
남편의 내 짧은 손톱이 마음에 들었다고 했다.

우리 은근 천생연분인가

후라이드 치킨

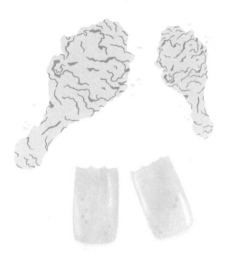

한 시간 동안 같은 자리에,
한 시간 동안 오백 두 잔.

젓가락으로 치킨 먹는 사람.

내가 반했던 그날은, 그게 다 특별하고
그게 다 멋으로 보였다.

그렇게 나는 내 인생에서
가장 특별한 캐릭터를 만났다.

첫 만남, 첫 느낌

귀여워, 소중해
아끼고 싶어

너희를 처음 만났을 때

그 첫 느낌.

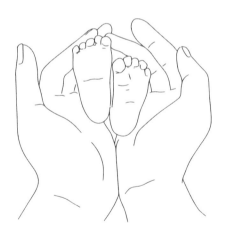

어미오리와 아픈 손가락

열 손가락 깨물어 안 아픈 손가락이 있을까
물면 다 아픈 손가락인데
더 아프고 덜 아픈 손가락은 없을 것이다.

뭍에 나와 먹이 찾는 저 새끼 오리들과
그 옆을 맴돌며 지키는 어미 오리.

행여 한 마리라도 놓칠까 뒤처지는 아이 챙기며
앞서가는 아이들에게서도 눈을 떼지 못하는 어미 오리.

어느 하나도 소중하지 않은 아이는 없다.

예쁜 말

이제 네 세상은
예쁜 말로만
채워줄께

우 리

하나, 둘, 셋, 넷
이렇게 우리가 되고

우리는 네 배 기뻐하고,
화를 내고, 슬퍼하며,

좀 더 풍부해지는 우리를 느끼며
열심히 살아가는 기분이다.

epilogue

공부나 교재, 일이나 취미, 독서 등 무엇인가 새로운 일에 맞닥뜨렸을 경우의 현명한 대처 요령은 가장 넓은 사랑을 가지고 맞서는 것이다.

꺼리는 면, 마음에 들지 않는 점, 오해, 시시한 부분을 보아도 즉시 잊어버리겠다는 마음가짐으로 그 모든 것을 전면적으로 받아들이며 전체의 마지막에 이르기까지 잠자코 지켜본다.

그럼으로써 드디어 거기에 무엇이 있는지, 무엇이 그것의 심장인지 확연히 들여다 볼 수 있다.
좋다 혹은 싫다와 같은 감정이나 기분에 치우쳐 도중에 내팽개치지 않고 마지막까지 넓은 사랑을 갖는 것.
이것이 무언가를 진정으로 알고자 할 때의 요령이다.

_ 니체 " 새롭게 무엇인가를 시작하는 요령"

epilogue

"나에 곁에 항상 함께 있었던 무해한 것들"

그립고 외롭고, 그러다 또 즐겁고 신나는 날들.
그 모든 게 나 혼자서 만드는 게 아니라는 걸, 누군가와 함께하고 생각하면서
만들어지는 모든날들 이었다.

부모님도, 남편도 그리고 사랑스러운 두 아이도 너무 소중하고,
20년 가까이 함께 놀고 울고 웃는 친구들도 너무 소중하다.

나의 모든 시간에 함께 해 준, 감사하고 소중한 사람들

이 짧은 이야기는, 그 시간들을 기억하기 위한 메모이고
앞으로도 함께 써 내려갈 이야기의 시작이다.

항상 곁에 있어줘서 감사합니다.